Título de la obra original en inglés publicada por
Self-Realization Fellowship, Los Ángeles (California):
Two Frogs in Trouble
ISBN 978-0-87612-351-5

Traducción al español: *Self-Realization Fellowship*
Copyright © 2010 *Self-Realization Fellowship*

 Esta edición ha sido autorizada
por el Consejo de Publicaciones Internacionales
de *Self-Realization Fellowship*

Self-Realization Fellowship fue fundada en 1920 por Paramahansa Yogananda, como el órgano difusor de sus enseñanzas en el mundo entero. En todos los libros, grabaciones y demás publicaciones de SRF aparecen el nombre y el emblema de *Self-Realization Fellowship* (tal como se muestran en esta página), los cuales garantizan a las personas interesadas que una determinada obra procede de la sociedad establecida por Paramahansa Yogananda y refleja fielmente sus enseñanzas.

Deseamos expresar nuestro sincero agradecimiento a la escritora Natalie Hale, a la artista Susie Richards y al diseñador gráfico Bentley Richards por la labor que han realizado en la preparación de este libro.

Primera edición en español de la editorial
Self-Realization Fellowship: 2010

Primera impresión en cartoné: 2010

ISBN-13: 978-0-87612-036-1
ISBN-10: 0-87612-036-2

Impreso en Estados Unidos de América en papel libre de ácido
1681-J1458

Dos ranas en apuros

Basado en una fábula relatada
por

Paramahansa Yogananda

Self-Realization Fellowship
FOUNDED 1920
Paramahansa Yogananda

L a robusta rana Ramona dormitaba junto al estanque, mientras los tibios rayos del sol calentaban su abultado lomo.

«Qué gran día para no hacer nada», pensaba.

Al mismo tiempo, Renata, una ranita que era su compañera de juegos, entraba y salía de la franja iluminada por el sol, saltando una y otra vez desde un hongo al estanque. Amanecía en la granja, y la pequeña Renata estaba lista para la diversión.

—¡Despierta! ¡Despierta! —le gritaba a Ramona—. Es hora de jugar.

Dando ligeros brincos, ¡plip!, ¡plip!, ¡plip!, la pequeña Renata se encaminó hacia el estanque.

Ramona abrió por fin los ojos de par en par y, brincando pesadamente, ¡plop!, ¡plop!, ¡plop!, siguió a Renata. Juntas atravesaron el estanque en dirección al establo, jugando al escondite y a saltar la una sobre la otra a lo largo del camino.

Ambas se divertían tanto que olvidaron que a esa hora se ordeñaban las vacas en el establo.

¡Plop! ¡Plip! Y en uno de sus saltos… las dos cayeron dentro de un balde de leche recién ordeñada.

Como las paredes del recipiente estaban muy resbaladizas, las ranas no podían salir.

—¡Socorro! ¡Auxilio! —gritaba Ramona.

Pero era inútil; nadie venía a ayudarlas.

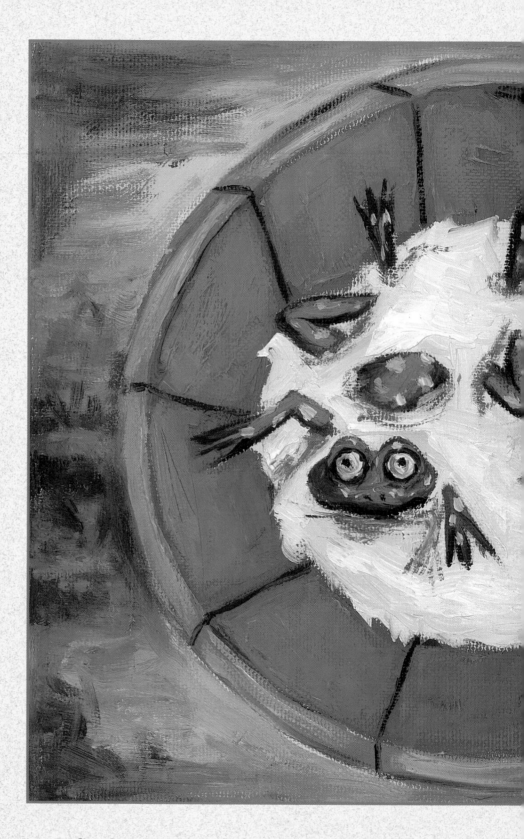

Con la esperanza de encontrar algún modo para escapar de allí, las dos ranas nadaron en círculos dentro del balde de leche.

Nadaron y nadaron, durante horas...

Ramona, la más grande de las dos ranas, empezó a bracear cada vez más despacio, hasta que finalmente dijo entre gemidos:

—¿Para qué seguir intentándolo? Vamos a morir en este cubo. Estoy tan cansada que ya no puedo nadar más.

—¡Sigue! ¡Sigue! —la animaba Renata mientras chapoteaba sin cesar dentro del recipiente—. Tienes que ser valiente o te ahogarás. ¡No te rindas!

Y así, ambas continuaron esforzándose durante un rato.

Sin embargo, Ramona dejó pronto de nadar.

—Amiguita —dijo jadeante—, nuestro esfuerzo no sirve de nada; es imposible escapar de este encierro. Ya no puedo más; voy a abandonar la lucha.

Y así lo hizo.

Ahora, tan sólo quedaba la pequeña Renata.

—Bueno, si me rindo, también yo moriré —se dijo—. Así pues, ¡continuaré nadando!

Transcurrieron dos horas más, y las cansadas patitas de Renata apenas podían moverse.

—Me es imposible dar una brazada más —dijo entre sollozos. Pero luego pensó en lo que le había sucedido a Ramona.

Reuniendo las pocas fuerzas que aún le quedaban, la pequeña Renata gritó:

—Aunque muera en el intento, ¡no me rendiré!

»Mientras haya vida, ¡hay esperanza!

Rebosante de valor, Renata sintió el cosquilleo de la energía que ahora circulaba por sus patitas y las llenaba de nueva vida. Y así continuó nadando dentro del cubo de leche, dando vueltas y más vueltas.

¡Splash! ¡Splash! ¡Splash! Durante mucho tiempo, sólo había oído este soniquete. Pero de pronto empezó a escuchar un nuevo sonido: ¡Glop! ¡Glop! ¡Glop! Las blancas olas de la leche se habían convertido en una espesa crema. Ahora, le resultaba aún más difícil moverse; pero la pequeña Renata siguió nadando con todas sus fuerzas.

De repente, sintió que sus patitas golpeaban algo sólido y, al mirar hacia abajo, vio que se apoyaban sobre un pequeño promontorio. Su incesante pataleo había batido la leche, ¡convirtiéndola en mantequilla! Y dando un gran salto de alegría, la pequeña Renata brincó fuera del recipiente…

¡hacia la libertad!

Esa noche, mientras saltaba feliz entre la crecida hierba, Renata le sonrió a la luna y pensó:

«¡Ahora sé que es cierto! Siempre hay esperanza».

«A partir de hoy, nunca, nunca me rendiré».

Y jamás se dio por vencida.

Paramahansa Yogananda
(1893-1952)

Hace más de 100 años, vivió en la India un muchacho llamado Mukunda. Él era una persona muy especial. Incluso cuando era pequeño, el amor que sentía por Dios y por el prójimo conmovía profundamente a sus familiares y amigos.

Poco después de terminar sus estudios preuniversitarios, conoció a un hombre sabio que le mostró cómo podía dedicar su vida por completo a amar a Dios y ayudar a los demás.

Después de finalizar sus estudios universitarios, Mukunda se convirtió en un monje, como lo era su maestro espiritual, y recibió un nuevo nombre: Yogananda. Él fundó una escuela para niños basada en el «arte de vivir». Allí, además de las materias habituales, les enseñaba a llevar una vida sana y feliz y, a veces, les contaba cuentos como el que se relata en este libro.

Algunos años después, Yogananda viajó a América para enseñar a los demás lo que había aprendido en la India. Él escribió muchos libros rebosantes de su maravillosa sabiduría, entre los que se encuentra su célebre *Autobiografía de un yogui*. Hoy en día se le reconoce en todo el mundo como un gran maestro espiritual.